法布尔昆虫记 绘本

猎蝽——丑陋的屠夫

齐遇 / 编绘

我们的世界是如此美好！

昆虫，仿佛我们这个世界的精灵，在树林间，在草丛里，或振翅飞舞，或浅吟低唱……它们的生命大多短暂，但它们的故事却很精彩。

孩子们是多么喜爱昆虫啊！他们追逐着夏夜的萤火虫，跟着可爱的蜻蜓奔跑；他们观察圣甲虫团粪球，倾听蝉的欢唱。

真的要感谢法布尔先生。这位伟大的昆虫学家，用细致入微的观察，用细腻恬淡的文笔，将神秘的昆虫世界呈现在我们面前。他是那么热爱那些小精灵，与其说他是在研究昆虫，倒不如说他倾尽所有的爱，呵护着那些小生命。厚厚一部《昆虫记》是法布尔先生留给我们的最宝贵的遗产，这就是爱——爱生活，爱自然，爱生命。

《昆虫记》是一部百年经典，多少年来深受中国读者喜爱。据了解，目前国内图书市场上各种版本的《昆虫记》不下百种，我们这套注音版《法布尔昆虫记绘本》，从严格意义上来说，是一部昆虫童话。每一个故事，都力求生动有趣；每一幅画面，都力求栩栩如生。

我们在创作这些昆虫童话时，牢牢根植于原版《昆虫记》，将各种昆虫的特点、习性完美地融入故事中，读起来既有趣味，又能在不知不觉中了解很多昆虫知识。因此，这套《法布尔昆虫记绘本》可以说是科普和文学完美结合的佳作。

那么，就让我们一起走近法布尔先生，走近我们的昆虫朋友吧！

图书在版编目（CIP）数据

猎蝽：丑陋的屠夫 / 齐遇编绘 .—武汉：长江出版社，2016.4
（法布尔昆虫记绘本）
ISBN 978-7-5492-4200-9

Ⅰ.①猎… Ⅱ.①齐… Ⅲ.①儿童文学—图画故事—中国—当代 Ⅳ.① I287.8

中国版本图书馆 CIP 数据核字（2016）第 089266 号

liè chūn chǒu lòu de tú fū
猎蝽：丑陋的屠夫

猎蝽：丑陋的屠夫 **齐遇/编绘**

责任编辑： 高　伟
装帧设计： 新奇遇文化
出版发行： 长江出版社
地　　址： 武汉市解放大道1863号　　**邮　　编：** 430010
网　　址： http://www.cjpress.com.cn
电　　话：（027）82926557（总编室）
（027）82926806（市场营销部）
经　　销： 各地新华书店
印　　刷： 湖北嘉仑文化发展有限公司
规　　格： 710mm × 960mm　　1/16　　4印张
版　　次： 2016年4月第1版　　2022年4月第8次印刷
ISBN 978-7-5492-4200-9
定　　价： 15.80元

猎蝽

丑陋的屠夫

我看见它掠食的时候，露出一根细如发丝的黑色细丝。
这是一把薄薄的灵巧的手术刀，其他未露出的部分是刀鞘和坚硬的刀柄。
这种粗野的工具表明，猎蝽是个屠夫。

——法布尔

huāng liáng de shān jiǎo xià yǒu yí gè fèi jiù de cāng kù huáng hūn de guāng xiàn cóng chuāng hu shè jìn lái bǎ fáng jiān zhào de gèng jiā yōu àn cāng kù de yí gè jiǎo luò li duī fàng zhe fǔ làn de dòng wù pí ròu dì shang hái yǒu yì xiē líng sǎn de gǔ tou jiǎo hé tí

荒凉的山脚下有一个废旧的仓库，黄昏的光线从窗户射进来，把房间照得更加幽暗。仓库的一个角落里，堆放着腐烂的动物皮肉，地上还有一些零散的骨头、角和蹄。

zài kù shǔ nán nài de shí jié li zhè xiē màn màn
在酷暑难耐的时节里，这些慢慢

fǔ huà de dōng xi sàn fā chū zhèn zhèn è chòu cāng ying
腐化的东西散发出阵阵恶臭。苍蝇

fēi lái fēi qù fā chū dī wēi de wēng wēng shēng pí dù
飞来飞去，发出低微的嗡嗡声。皮蠹

hé qū mǎn gǔ mǎn kēng luàn zuān luàn dòng
和蛆满谷满坑，乱钻乱动。

yì zhī shēn tǐ biǎn píng de liè chūn pá xíng zài zhè ge chòu qì xūn
一只身体扁平的猎蝽，爬行在这个臭气熏
tiān de cāng kù li tā shēn chū xì rú fà sī de kǒu qì xī zhe pí
天的仓库里。它伸出细如发丝的口器，吸着皮
dù de xuè zhè zhī qí mào bù yáng de liè chūn mǎn shēn dōu shì huī chén
蠹的血。这只其貌不扬的猎蝽，满身都是灰尘，
chéng xiàn chū shù zhī bān de hè sè
呈现出树脂般的褐色。

tā de qián xiōng wū hēi fā liàng hái yǒu shǎn guāng de tū wén xiǎo
它的前胸乌黑发亮，还有闪光的凸纹，小
xiǎo de nǎo dai xiāng qiàn zài xì rú sī dài de jǐng bù guò le yí huì
小的脑袋镶嵌在细如丝带的颈部。过了一会
er tā jiāng bèi xī gān de pí dù rēng dào yì biān kāi shǐ xún zhǎo xià
儿，它将被吸干的皮蠹扔到一边，开始寻找下
yí gè mù biāo
一个目标。

zhè yí mù gāng hǎo bèi lù guò de
这一幕，刚好被路过的
bù jiǎ zhuàng jiàn le bù jiǎ jiǎn zhí wú
步甲撞见了。步甲简直无
fǎ xiāng xìn zì jǐ de péng you jìng rán
法相信，自己的朋友，竟然
shì yí gè shì xuè de tú fū bù jiǎ
是一个嗜血的屠夫！步甲
de xīn zhōng chōng mǎn bǐ yí tā yáo yao
的心中充满鄙夷，它摇摇
tóu shī wàng de zǒu kāi le
头，失望地走开了。

pí dù jiě jué yǐ hòu liè chūn xīn mǎn yì zú de zǒu chū cāng kù
皮蠹解决以后，猎蝽心满意足地走出仓库。
zhè shí yì zhī huáng chóng cóng tā yǎn qián tiào guò liè chūn bù zhī pí
这时，一只蝗虫从它眼前跳过。猎蝽不知疲
juàn de zhuī le guò qù
倦地追了过去。

hng kàn nǐ hái wǎng nǎ er pǎo liè chūn dīng zhe tíng xiē zài
“哼，看你还往哪儿跑！”猎蝽盯着停歇在
yí piàn cǎo yè shang de huáng chóng xīn li àn àn gāo xìng tā yòng nián
一片草叶上的蝗虫，心里暗暗高兴。它用黏
yè bǎ ní tǔ zhān fù zài shēn shang wěi zhuāng le yì fān rán hòu qiāo
液把泥土粘附在身上，伪装了一番，然后悄
qiāo de pá xiàng huáng chóng bù shēng bù xiǎng de shēn chū yóu rú yì bǎ
悄地爬向蝗虫，不声不响地伸出犹如一把
hēi sè liǔ yè dāo de kǒu qì měng cì zài huáng chóng shēn shang
黑色柳叶刀的口器，猛刺在蝗虫身上。

děng dào huáng chóng méi le dòng jing liè chūn jiāng jì shì shì zhēn yòu
等到蝗虫没了动静，猎蝽将既是螫针又

shì shuǐ bèng de kǒu qì chā jìn huáng chóng de shēn tǐ chōu zhe tā de
是水泵的口器，插进蝗虫的身体，抽着它的

xuè yè jiàn jiàn de huáng chóng de shēn tǐ biàn de bàn tòu míng kàn lái
血液。渐渐地，蝗虫的身体变得半透明，看来

quán shēn dōu bèi xī gān le liè chūn rēng diào zhè jù yǐ jing bèi xī gān
全身都被吸干了。猎蝽扔掉这具已经被吸干

le de shī tǐ zhuǎn tóu lí kāi hū rán tā piē jiàn jǐ zhī bái yǐ zhèng
了的尸体，转头离开，忽然它瞥见几只白蚁正

zài yì gēn gān zhe de gēn bù mì móu zhe shén me
在一根甘蔗的根部密谋着什么。

liè chūn zǐ xì kàn le kàn gān zhe dì li jìng rán hái yǒu
猎蝽仔细看了看，甘蔗地里竟然还有
yí dà qún bái yǐ yǐ jing pá shàng le gān zhe de jīng gǎn zhèng
一大群白蚁已经爬上了甘蔗的茎秆，正
tān lán de yǎo zhe gān zhe liè chūn yì shí dào rú guǒ bù jǐn
贪婪地咬着甘蔗。猎蝽意识到，如果不尽
kuài jiě jué diào zhè xiē bái yǐ hòu guǒ jiāng shí fēn yán zhòng tā
快解决掉这些白蚁，后果将十分严重。它
yòu yòng qǐ yì róng shù wěi zhuāng chéng le yí kuài ní tǔ
又用起易容术，伪装成了一块泥土，
chū qí bú yì de jiāng dú yè zhù rù bái yǐ de shēn tǐ bìng
出其不意地将毒液注入白蚁的身体，并
jiāng qí xuè yè xī gān
将其血液吸干。

nǐ jiù zhè me xǐ huan tú shā ma bù jiǎ tū rán chū xiàn
"你就这么喜欢屠杀吗？"步甲突然出现，
dǎng zài liè chūn miàn qián nǐ tú shā huáng chóng hé pí dù yě jiù
挡在猎蝽面前。"你屠杀蝗虫和皮蠹，也就
suàn le méi xiǎng dào nǐ lián zhè me róu ruò kě ài de xiǎo bái yǐ yě bú
算了，没想到你连这么柔弱可爱的小白蚁也不
fàng guò wǒ zhēn shi kàn cuò nǐ le bù jiǎ nù shì zhe liè chūn dà
放过！我真是看错你了！"步甲怒视着猎蝽，大
shēng de shuō
声地说。

liè chūn yí huò de kàn zhe bù jiǎ shuō wǒ bù míng bai nǐ zài
猎蝽疑惑地看着步甲，说：“我不明白你在
shuō shén me huáng chóng de wēi hài nǐ shì zhī dào de pí dù shì máo
说什么！ 蝗虫的危害你是知道的，皮蠹是毛
pí de qīn hài zhě yě bì xū chú diào zhè xiē bái yǐ kàn sì róu ruò
皮的侵害者，也必须除掉。这些白蚁看似柔弱，
pò huài xìng qí shí hěn qiáng rú guǒ bù jí shí jiāng tā men qīng chú diào
破坏性其实很强，如果不及时将它们清除掉，
zhè piàn gān zhe dì kě jiù huǐ le
这片甘蔗地可就毁了……”

nǐ jiù bié wèi zì jǐ de sī xīn zhǎo jiè kǒu le bù jiǎ dǎ
“你就别为自己的私心找借口了！”步甲打

duàn liè chūn shuō tā men nà me xiǎo kěn jǐ xià gān zhe jiù néng bǎ
断猎蝽说，“它们那么小，啃几下甘蔗，就能把

zhěng piàn de gān zhe dōu gěi zāo ta wán ma nǐ jiù shì kàn bái yǐ ròu
整片的甘蔗都给糟蹋完吗？你就是看白蚁肉

duō wèi měi xiǎng bǎ tā men chī guāng
多味美，想把它们吃光！”

“步甲！我们是朋友，不是吗？是朋友，就要互相信任……”“谁跟你是朋友！”步甲猛地推开猎蝽说，“我没有你这种肮脏、丑陋、冷血、无情的朋友！看看你灰头土脸的样子，真难看！”

bèi tuī dǎo zài dì de liè chūn kàn zhe nù qì chōng chōng de bù jiǎ
被推倒在地的猎蝽看着怒气冲冲的步甲，

huǎn huǎn de pá qǐ lái zài luò rì de yú huī zhōng dài zhe bēi shāng dú
缓缓地爬起来，在落日的余晖中，带着悲伤独

zì lí kāi le
自离开了。

kàn zhe liè chūn gū dú lí qù de bèi yǐng bù jiǎ tū rán yǒu xiē
看着猎蝽孤独离去的背影，步甲突然有些
shī luò tā zhī dào rú guǒ liè chūn duì zì jǐ xià shǒu zì jǐ huò xǔ
失落。它知道如果猎蝽对自己下手，自己或许
bú shì duì shǒu dàn liè chūn què méi yǒu zhè me zuò
不是对手，但猎蝽却没有这么做……

shāng xīn nán guò de liè chūn bù zhī bù jué jiān lái dào le yí
伤心难过的猎蝽，不知不觉间来到了一
zuò xiǎo mù wū qián tā zǐ xì chǒu le chǒu zhè jiān kòng wū yě yǒu
座小木屋前。它仔细瞅了瞅，这间空屋也有
yì qún bái yǐ zhǐ yào jí shí chǔ lǐ jiù bú huì liú xià hòu huàn
一群白蚁，只要及时处理就不会留下后患。
tā wàng le gāng cái de bú kuài mǎ shàng zuò hǎo zhàn dòu de zhǔn
它忘了刚才的不快，马上做好战斗的准
bèi cóng mù wū de mén fèng dǐ xia zuān le jìn qù
备，从木屋的门缝底下钻了进去。

bù jiǎ zài yí cì chū xiàn jiāng liè chūn zhuài chū wū zi nǐ gēn
步甲再一次出现，将猎蝽拽出屋子。“你跟
zōng wǒ liè chūn fèn nù de shuō wǒ běn lái xiǎng kàn kan nǐ yào bú
踪我！”猎蝽愤怒地说。“我本来想看看你要不
yào jǐn shuí zhī dào nǐ yòu zài tú shā zhè xiē wú gū de bái yǐ bù
要紧，谁知道你又在屠杀这些无辜的白蚁！”步
jiǎ yě fēi cháng bù gāo xìng
甲也非常不高兴。

wú gū zhè xiē xiǎo jiā huo néng bǎ zhěng kē dà shù zhù
“无辜？这些小家伙能把整棵大树蛀
kōng wǒ gào su nǐ nǐ yào shi zài lán zhe wǒ zhè zuò mù wū jiù
空！我告诉你，你要是再拦着我，这座木屋就
yào huǐ zài nǐ shǒushang le bù jiǎ lěng xiào le yí xià shuō wǒ
要毁在你手上了！”步甲冷笑了一下，说：“我
bú xìn zhè me yí zuò jiē shi de fáng zi hái néng ràng xiǎo xiǎo de
不信！这么一座结实的房子，还能让小小的
bái yǐ gěi huǐ le
白蚁给毁了！”

liè chūn jí le shàng qián yí bù shuō bú xìn suàn le ràng
猎蝽急了，上前一步说：“不信算了，让

kāi bù jiǎ yě shàng qián yí bù yí zì yí dùn de shuō bú
开！”步甲也上前一步，一字一顿地说：“不

ràng
让！”

liè chūn tū rán zǒu shàng qián yòng tóu dǐ zhe bù jiǎ de tóu shuō
猎蝽突然走上前，用头抵着步甲的头说：
wǒ jīn tiān bì xū bǎ zhè lǐ de bái yǐ qīng lǐ gān jìng nà wǒ
“我今天必须把这里的白蚁清理干净！”“那我
yě gào su nǐ yǒu wǒ zài nǐ jiù bié xiǎng shāng hài nà xiē bái yǐ
也告诉你，有我在，你就别想伤害那些白蚁！”
liǎng gè jiā huo jiù xiàng dòu niú shì de hù xiāng dǐ zhe duì fāng de tóu
两个家伙就像斗牛似的，互相抵着对方的头，
shuí yě bù kěn hòu tuì yí bù
谁也不肯后退一步。

cóng hēi yè dào qīng chén tā liǎ xiàng shí huà le
从黑夜到清晨，它俩像石化了
yí yàng yí dòng bú dòng de jiāng chí zhe nǐ men
一样，一动不动地僵持着。“你们
zài gàn shén me a gān zhe dì chū shì er la
在干什么啊？甘蔗地出事儿啦！”
yì zhī qī xīng piáo chóng luò zài cǎo yè shang zháo jí
一只七星瓢虫落在草叶上，着急
de hǎn dào liè chūn hé bù jiǎ gǎn jǐn sōng kāi duì
地喊道。猎蝽和步甲赶紧松开对
fāng xiàng gān zhe dì pǎo qù
方，向甘蔗地跑去。

gān zhe dì li yí piàn láng jí yǒu hǎo jǐ pái gān zhe dōu bèi
甘蔗地里一片狼藉，有好几排甘蔗都被
xī gān le zhī yè zhù kōng le nèi xīn héng qī shù bā de dǎo zài
吸干了汁液，蛀空了内心，横七竖八地倒在
dì shang kàn kan zhè xiē gān zhe dǎo de dǎo duàn de duàn zài kàn
地上。看看这些甘蔗倒的倒，断的断，再看
kan yǐ jīng shàng qián xiāo miè bái yǐ de liè chūn bù jiǎ gǎn dào shēn
看已经上前消灭白蚁的猎蝽，步甲感到深
shēn de zì zé
深的自责。

máng wán hòu de liè chūn huí guò tóu kàn jiàn bù jiǎ réng dāi lì zài

忙完后的猎蝽回过头，看见步甲仍呆立在

yuán dì biàn qīng qīng pāi le pāi bù jiǎ de jiān bǎng shuō méi shì le

原地，便轻轻拍了拍步甲的肩膀说：“没事了，

yí qiè dōu yǐ jīng jiě jué le liè chūn shuō wán biàn zhǎn chì fēi xiàng

一切都已经解决了！”猎蝽说完，便展翅飞向

xiǎo mù wū

小木屋。

xù rì zài yuǎn yuǎn de qián fāng rǎn rǎn shēng qǐ hóng tōng tōng de
旭日在远远的前方冉冉升起，红彤彤的，
fēi cháng hǎo kàn rán ér zài bù jiǎ de xīn li tā yuǎn bǐ bú shàng zì
非常好看。然而在步甲的心里，它远比不上自
jǐ de péng you liè chūn nà me měi
己的朋友猎蝽那么美。

昆虫知识卡

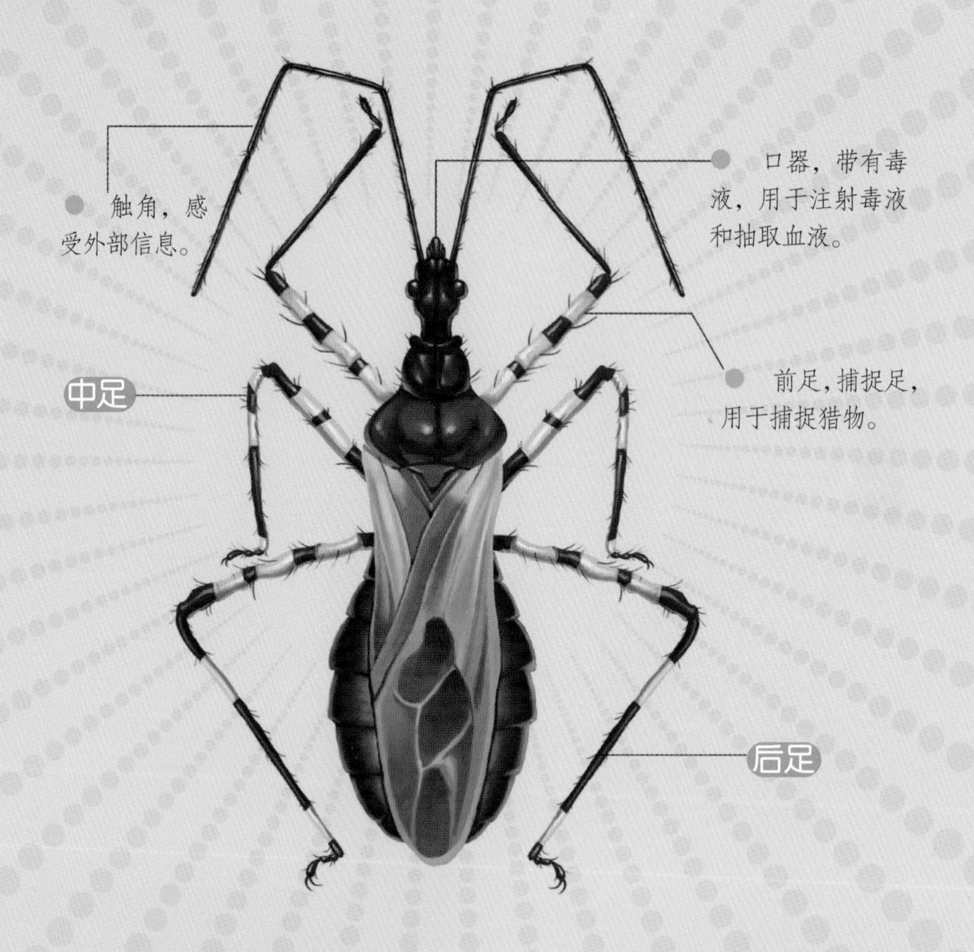

猎蝽，昆虫中的斗士，哪怕对手是个巨人，它也会将其体液吸得精光。它独特的口器既是带有麻醉的螫针，又是抽取血液的水泵。然而它不像有麻痹技术的膜翅目昆虫那样，懂得解剖受害猎物的身体，了解受害猎物神经中枢的奥妙。它只是漫无目的地螫刺，直到将受害者刺伤。

松毛虫

松树上的纺纱工

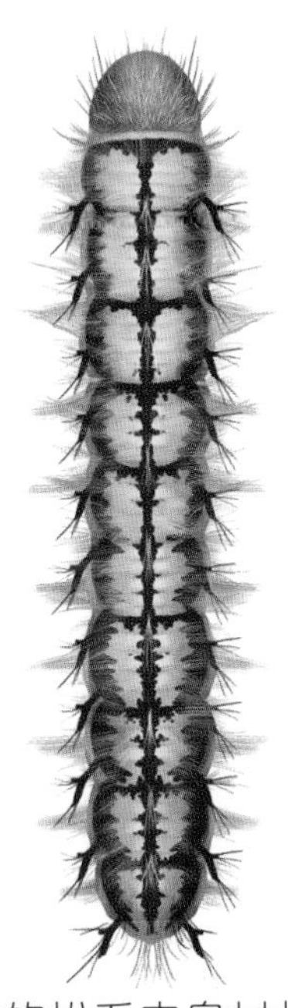

所有的松毛虫身材相同，
力气相同，服装相同；
它们的纺织才能相同，干劲相同，
都把小丝壶盛装的丝耗用于集体福利。
必须劳动的时候，没有一条松毛虫不干活，
懒懒散散，拖拖沓沓。

——法布尔

shí yuè jié shù le hán fēng hū xiào ér
十月结束了，寒风呼啸而
lái qīn xí zhe shān pō xià de sōng shù lín
来，侵袭着山坡下的松树林。
tuán jié jiù shì lì liang zhè lì liang shì tiě zhè
“团结就是力量，这力量是铁，这
lì liang shì gāng yì zhī pái liè zhěng qí de
力量是钢……”一支排列整齐的
sōng máo chóng duì wu zhèng yǐn háng gāo gē shùn
松毛虫队伍，正引吭高歌，顺
zhe sōng shù de zhī gàn xiàng shàng pān pá
着松树的枝干向上攀爬。

kuài lái kàn ya xiǎo mù hǎo dà yì qún sōng máo chóng a
“快来看呀，小木，好大一群松毛虫啊！”

zǎo yǐ jiāng nǎo dai shēn chū dòng kǒu de tiān niú yòu chóng xiǎo tiān xīng fèn de chòng tóng bàn hǎn dào shàng bǎi zhī sōng máo chóng pái chéng yì háng jiù xiàng yì gēn mián yán bú duàn de xì dài zi ne
早已将脑袋伸出洞口的天牛幼虫小天，兴奋地冲同伴喊道，“上百只松毛虫排成一行，就像一根绵延不断的细带子呢！”

yǒu shén me hǎo kàn de dà qīng
“有什么好看的！大清
zǎo jiù chàng gē chǎo de wǒ dōu méi fǎ shuì
早就唱歌，吵得我都没法睡
jiào xiǎo mù yì biān bào yuàn yì biān
觉！”小木一边抱怨，一边
qiáo zhe wài miàn de sōng máo chóng
瞧着外面的松毛虫。

zhè shì yì qún zhuān chī sōng zhēn de sōng máo chóng pī zhe
这是一群专吃松针的松毛虫，披着
chéng huáng sè xiān máo wài yī bèi shang diǎn zhe shēn hóng sè
橙黄色纤毛外衣，背上点着深红色
de xiǎo yuán bān yuán bān de zhōu wéi yòu huán rào zhe hóng zōng
的小圆斑。圆斑的周围又环绕着红棕
sè de gāng máo zhōng jiān hái yǒu zhe jīn sè de xiǎo bān yàng
色的刚毛，中间还有着金色的小斑，样
zi fēi cháng tè bié
子非常特别。

jí ēn jiù shì zhè xiē sōng máo chóng zhōng de yì yuán tā zǒu zài
吉恩就是这些松毛虫中的一员，它走在
zuì qián miàn hěn kuài jiù dài lǐng zhe dà jiā zhǎo dào le yí chù sōng zhēn mì
最前面，很快就带领着大家找到了一处松针密
jí de zhī chà rán hòu tā men yì qǐ tǔ sī jié chéng xiān xì de sī
集的枝杈。然后，它们一起吐丝，结成纤细的丝
wǎng jiāng fù jìn de sōng zhēn fù gài qǐ lái jiè cǐ huà hǎo xīn jū de
网，将附近的松针覆盖起来，借此划好新居的
fàn wéi
范围。

jiē zhe sōng máo chóng men fēn fēn sàn kāi gè zì xuǎn dìng zhù cháo
接着，松毛虫们纷纷散开，各自选定筑巢

de wèi zhì kāi shǐ zhuān xīn gōng zuò tā men yì biān pá yì biān tǔ zhe
的位置，开始专心工作。它们一边爬一边吐着

sī rán hòu bǎ sī jié chéng jiāo cuò de sī wǎng jiù xiàng yì qún qín láo
丝，然后把丝结成交错的丝网，就像一群勤劳

de fǎng shā gōng zài nǔ lì de biān zhī yì tiáo yù hán de dà sī bèi
的纺纱工，在努力地编织一条御寒的大丝被。

jí ēn de dòng zuò gé wài xùn sù tā bǎ sī xiàn
吉恩的动作格外迅速。它把丝线
zhān tiē zài zǒu guò de dì fang yǒu shí hái huì bǎ yì xiē
粘贴在走过的地方，有时还会把一些
sōng yè chān zá jìn qù shǐ pí lín de sōng zhēn shāo shāo
松叶掺杂进去，使毗邻的松针稍稍
xiàng nèi wān qū yè shāo yǐn mò zài sī wǎng zhōng chéng
向内弯曲，叶梢隐没在丝网中，成
wéi cháo fáng de xīn zhī chēng
为巢房的新支撑。

nǐ shuō tā men lái lái huí huí de máng huo shén me
“你说它们来来回回地忙活什么

ne xiǎo tiān wèn xiǎo mù hái néng gàn shén me
呢？”小天问小木。“还能干什么？

jiù shì gǎn zài hán dōng lái lín zhī qián gěi zì jǐ dā jiàn
就是赶在寒冬来临之前，给自己搭建

yí gè wēn nuǎn de zhàng peng bei xiǎo mù yì biān huí
一个温暖的帐篷呗！”小木一边回

dá yì biān xiàng dòng wài pá qù
答，一边向洞外爬去。

xiǎo mù pá dào jí ēn shēn biān shuō hēi wǒ jiào xiǎo mù nǐ
小木爬到吉恩身边说：“嗨，我叫小木。你
jiào shén me míng zi wǒ jiào jí ēn jí ēn tíng xià shǒu li de
叫什么名字？”“我叫吉恩。”吉恩停下手里的
huó wēi xiào zhe shuō xiǎo mù qiào zhe nǎo dai kàn le kàn zhōu wéi de sōng
活，微笑着说。小木翘着脑袋看了看周围的松
máo chóng rán hòu xiàng jí ēn kào le kào shuō nǐ gàn má zhè me pīn
毛虫，然后向吉恩靠了靠说：“你干吗这么拼
mìng a fǎn zhèng dà jiā dōu zài zuò tōu tou lǎn shuí yě kàn bù chū
命啊？反正大家都在做，偷偷懒，谁也看不出
lái shì bú shì
来，是不是？”

bù xíng　wǒ men jì rán shì yí gè tuán tǐ　jiù yào hù bāng hù
“不行，我们既然是一个团体，就要互帮互

zhù　jí ēn lì jí fǎn bó dào　ér qiě dā jiàn yí gè zhè me dà
助！”吉恩立即反驳道，“而且搭建一个这么大

de zhàng peng dāng rán děi dà jiā hé zuò cái néng wán chéng　mù
的帐篷，当然得大家合作才能完成……”“木

tou nǎo dai　xiǎo mù shēng qì de dǎ duàn le jí ēn de huà diào tóu
头脑袋！”小木生气地打断了吉恩的话，掉头

zǒu le
走了。

yè wǎn sōng máo chóng men jù jí qǐ lái kāi shǐ xiǎng
夜晚，松毛虫们聚集起来，开始享
shòu měi wèi de sōng zhēn wǎn cān zhī hòu tā men gè zì xún
受美味的松针晚餐。之后，它们各自循
zhe sī xiàn huí dào zì jǐ de cháo li jí ēn yīn wèi zhǎo cuò
着丝线，回到自己的巢里。吉恩因为找错
sī xiàn lái dào le mò shēng de cháo li dàn tā bìng méi yǒu
丝线，来到了陌生的巢里。但它并没有
zháo jí chū lái ér shì rèn rèn zhēn zhēn de xiū qǐ cháo lái
着急出来，而是认认真真地修起巢来。

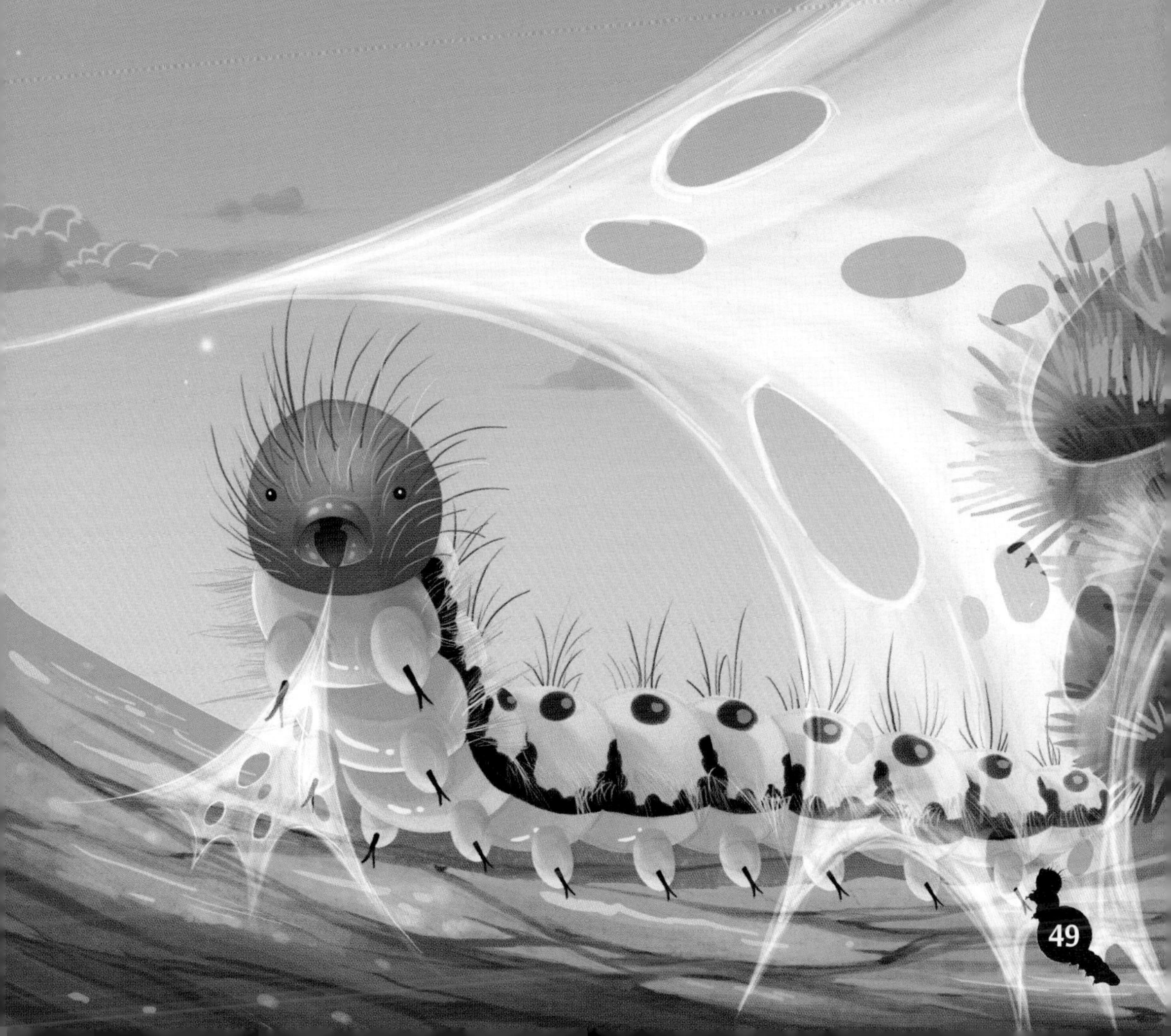

bèn dàn nà bú shì nǐ de cháo xiǎo mù gāng bǎ tóu shēn chū
“笨蛋，那不是你的巢！”小木刚把头伸出
dòng wài jiù kàn jiàn le zǒu cuò jiā mén de jí ēn jí ēn tái qǐ tóu
洞外，就看见了走错家门的吉恩。吉恩抬起头
shuō wǒ zhī dào dàn jì rán bèi wǒ yù dào le bāng máng xiū yí xià
说：“我知道，但既然被我遇到了，帮忙修一下
yě méi shén me hā hā hā xiǎo mù tū rán dà xiào qǐ lái
也没什么。”“哈哈哈……”小木突然大笑起来，
zhēn zhēn shi gè shǎ guā
“真……真是个傻瓜！”

xiǎo mù yì biān kuáng xiào yì biān xiàng qián tàn
小木一边狂笑，一边向前探
zhe shēn zi à jiù mìng suí zhe yì
着身子。“啊！救命——”随着一
shēng jiān jiào xiǎo mù kuài sù xiàng xià jiàng luò xiǎo
声尖叫，小木快速向下降落。“小
mù xiǎo tiān hé jí ēn tóng shí jīng jiào dào
木——”小天和吉恩同时惊叫道。

jí ēn wǒ men děi qù jiù xiǎo mù
“吉恩，我们得去救小木！
zhè me lěng de tiān tā huì bèi dòng sǐ de
这么冷的天，它会被冻死的！”
xiǎo tiān jiāo jí de shuō hǎo wǒ jiào shàng wǒ
小天焦急地说。“好，我叫上我
de péng you men yì qǐ qù jiù tā jí ēn
的朋友们，一起去救它！”吉恩
shuō zhe xiàng gāo chù kuài sù pá qù
说着向高处快速爬去。

lěng lěng sǐ wǒ le luò zài yì zhāng pò sī wǎng shang
“冷……冷死我了！”落在一张破丝网上

de xiǎo mù sè sè fā dǒu sì zhōu lián gè zhē bì de dì fang dōu méi
的小木，瑟瑟发抖。四周连个遮蔽的地方都没

yǒu tā zhǐ hǎo yì diǎn diǎn de pá dào sōng shù shang fèn lì de kěn zhe
有，它只好一点点地爬到松树上，奋力地啃着

shù pí xiǎng kěn chū yí gè shù dòng ràng zì jǐ bì bi fēng
树皮，想啃出一个树洞，让自己避避风。

guò le yí duàn shí jiān jīn pí lì jìn de xiǎo mù tíng le xià
过了一段时间，筋疲力尽的小木停了下

lai kū sàng zhe liǎn bào yuàn dào zhè yào kěn dào shén me shí hou
来，哭丧着脸抱怨道："这要啃到什么时候

a yào shi duō jǐ zhāng zuǐ yì qǐ kěn jiù hǎo le tā tū
啊！要是多几张嘴一起啃，就好了！"它突

rán xiǎng dào le jí ēn xiǎng dào le tuán jié de lì liang
然想到了吉恩，想到了团结的力量。

xiǎo mù nǐ zài nǎ er xiǎo mù jí ēn de shēng yīn tū
“小木！你在哪儿，小木？”吉恩的声音突
rán chuán lái shì jí ēn xiǎo mù gāo xìng jí le tā dà shēng hǎn
然传来。“是吉恩！”小木高兴极了，它大声喊
dào jí ēn wǒ zài zhè er wǒ zài zhè er jí ēn dài zhe sōng
道，“吉恩，我在这儿，我在这儿！”吉恩带着松
máo chóng men kuài sù xiàng xiǎo mù pá qù yì qǐ tǔ sī jiāng xiǎo mù de
毛虫们快速向小木爬去，一起吐丝，将小木的
shēn tǐ céng céng chán zhù
身体层层缠住。

kàn zhe dòng zuò yí zhì de sōng máo chóng men xiǎo mù xīn li
看着动作一致的松毛虫们，小木心里
suān suān de tā kàn zhe jí ēn shuō duì bu qǐ shì wǒ cuò
酸酸的。它看着吉恩说：“对不起，是我错
le yǐ jīng guò qù le xiǎo mù jí ēn dī zhe tóu hé dà jiā
了！”“已经过去了，小木！”吉恩低着头和大家
yì qǐ tuō zhe xiǎo mù xiàng shàng pá dào le shí èr yuè sōng máo chóng
一起拖着小木向上爬。到了十二月，松毛虫
bù luò de guò dōng dà zhàng peng zhōng yú wán chéng le sōng shù shang qiào
部落的过冬大帐篷终于完成了。松树上，鞘
xíng de dà nuǎn dài li sōng máo chóng men zhèng zuò zhe měi mèng
形的大暖袋里，松毛虫们正做着美梦！

昆虫知识卡

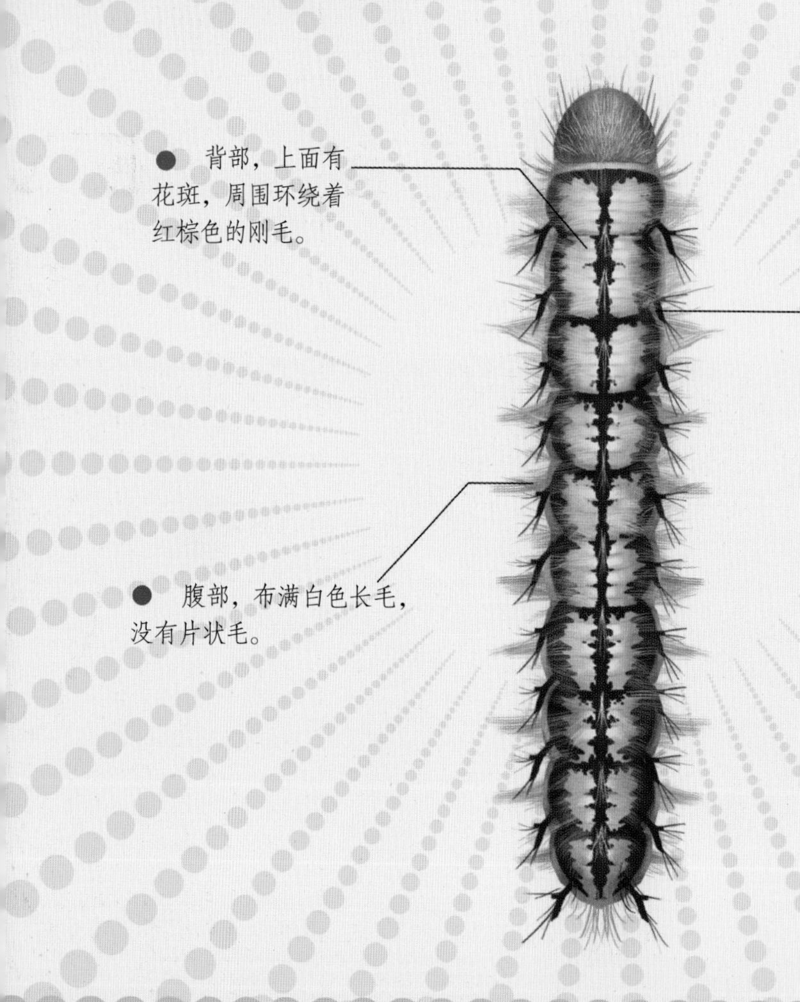

松毛虫喜欢在松树上筑巢，是一种能预测气候的昆虫。它们孵化后不久，就已学会做许多工作：吃针叶、排队和搭帐篷。它们边搭帐篷边吃着帐篷范围以内的针叶，直到帐篷即将倒塌。它们一路吐着丝，辗转迁徙，有时竟能到达松树的顶端。